# JOJO 8

# MONSIEUR JE-SAIS-TOUT

PAR GEERTS-

DUPUIS

Dépôt légal : avril 1998 — D.1998/0089/67
ISBN 2-8001-2334-6 — ISSN 0774-5400
© Dupuis, 1998.
Tous droits réservés.
Imprimé en Belgique.

LE SOLEIL SE LÈVE DOUCEMENT SUR LE PETIT QUARTIER DE JOJO.
RIEN NE BOUGE. IL EST ENCORE TROP TÔT.

TOI, TU SAIS FAIRE DU CAFÉ ?

MAIS OUiii! JE SUIS PLUS UN BÉBÉ, JE TE SIGNALE !

J'AI GRANDI, FIGURE-TOI!

BON, BEN, VA FAIRE DU CAFÉ, SI TU DIS QUE TU SAIS !

AAAAH!

MONSIEUR JE-SAIS-TOUT !

JOJO, TU DOIS BIEN TENIR LE COUVERCLE DU MOULIN À

OUI, JE SAIS!

WDJJJi!!!

JOJO! TU ES SÛR QUE ÇA VA ? J'AI ENTENDU UN DRÔLE DE BRUIT !

EUH! C'EST RIEN ! C'EST UN PETIT MACHIN... UN TRUC, LÀ... DE RIEN DU TOUT!

CROC CROC CROC CROC CROC

JOJO, ARRÊTE! FAIRE DU CAFÉ, CE N'EST PAS JOUER !

MAAIIS JE SAIS...

MAAIS JE SAIS...

MAAIS JE ...

SCHLANG!

PLITCH    PLITCH

SCHLINGE SCHLANG

ZzZz

SCHLING SCHLANG SCHLIN

?

C'EST PRÊÊÊT !

SCHLING SCHLING SCHLANG

EH, MAMY !

'TE RENDORS PAS !

3

BONJOUR, MAMY, BONJOUR, JOJO, EST-CE QUE TOUT VA BIEN ?

WAOW!

AH! TU TOMBES BIEN, GROS-LOUIS! ADMIRE LE TRAVAIL DE MONSIEUR JOJO-JE-SAIS-TOUT! MONSIEUR VOULAIT PRÉPARER LE PETIT DÉJEUNER! MONSIEUR SAVAIT!

C'EST GÉNIAL!

BLA BLA BLA BLA

QUAND JE PENSE QUE DANS UNE HEURE, ON DOIT ÊTRE CHEZ MARIE-SOLANGE POUR L'ANNIVERSAIRE DE JOSETTE!

ENFIN! TOI AU MOINS, TU ES PRÊT, GROS-LOUIS!

QUOI?! ON VA CHEZ JOSETTE AUJOURD'HUI? ET MOI AUSSI? AH MAIS NON, NON, NON!

LA DERNIÈRE FOIS, JOSETTE M'A FICHU UN COUP DE PELLE SUR LA TÊTE, ET J'AI LOUCHÉ COMME ÇA PENDANT DES SEMAINES! MÊME QU'ON A DÛ M'OPÉRER! (✱)

OUI, EH BIEN, TU ES INVITÉ, TU VIENDRAS.

(✱) VOIR JOJO N° 3 : "ON OPÈRE GROS-LOUIS"

ET UNE HEURE PLUS TARD...

ALORS?
TU DESCENDS, GROS-LOUIS?

DRRRIiiIIIiING

TU ES RIDICULE TU SAIS, AVEC TA PASSOIRE SUR LA TETE!

PEUT-ÊTRE, MAIS JE SUIS PROTÉGÉ!

MARIE-SOLANGE!

TANTE LÉONTINE!

JOSETTE!

Job!

BONJOUR, GROS-LOUIS.

MMH.

JOSETTE, EMMÈNE TES PETITS AMIS JOUER AU JARDIN. ON VOUS APPELLERA POUR LE DÉJEUNER.

TOI AUSSI, GROS-LOUIS.

NMH.

TIENS, TU SAIS PAS? J'AI CONSTRUIT UN NOUVEAU CAMP DANS LE POMMIER!

SI, JE SAIS!

AH BON? UN CAMP?

OUAiiS! IL EST CHOUETTE!

TU NE SAIS PAS CE QUE ÇA VEUT DIRE, HEIN : "PARTHÉNOGÉNÈSE" ?

SI, JE SAIS CE QUE ÇA VEUT DIRE !

OUI, EH BIEN, ÇA VEUT DIRE QUOI ?

JE LE SAIS, MAIS JE LE DIRAI PAS !

Y SAIT PAS CE QUE ÇA VEUT DI-RE ! Y SAIT PAS CE QUE ÇA VEUT DI-RE ♪

SI, JE SAIS !! SI, JE SAIS !! SI, JE SAIS !!

ET " MYRIAPODES " ? TU SAIS CE QUE ÇA VEUT DIRE, " MYRIAPODES " ?

ÇA TE REGARDE PAS.

ET CORRÉLATION ? PALIMPSESTE ? CHLAMYDE ? CHARISMATIQUE ?

RHIZÔME ? ASTIGMATISME ?

HOLÀLÀ ! MAIS ELLE M'EMBÊTE, CELLE-LA !

MOI, JE REDESCENDS !

ET JE DESCENDS PAR OÙ JE VEUX !

TIENS ? Y REMONTE !

TIENS NON ! Y REDESCEND !

AÏE !

BOUM !

ET JE TOMBE SI JE VEUX !

ALORS, DOCTEUR ?

CAPITIS PRIMA COMMOTIO. TRÈS LÉGÈRE COMMOTION CÉRÉBRALE. RIEN D'INQUIÉTANT.

DONNEZ-LUI UNE ASPIRINE AVANT LE COUCHER. JE PASSERAI DEMAIN VOIR COMMENT IL VA.

LAISSEZ, JE CONNAIS LE CHEMIN.

TU ENTENDS ÇA, JOJO ? TU AS UNE COMMOTTIS PRIBA GROSSOMODO ! HI ! HI ! HI !

ALLEZ, BONNE NUIT, MON JOJO. DORS BIEN. DEMAIN, TU SERAS EN PLEINE FORME.

PARTHÉNOGÉNÈSE : n.f. REPRODUCTION SANS MÂLE DANS UNE ESPÈCE SEXUÉE.
MYRIAPODES : n.m.pl. CLASSE D'ANIMAUX ARTHROPODES À NOMBREUSES PATTES.
CORRÉLATION : n.f. LIEN, RAPPORT
PALIMPSESTE : n.m. PARCHEMIN DONT ON A EFFACÉ LA PREMIÈRE ÉCRITURE POUR POUVOIR ÉCRIRE UN NOUVEAU TEXTE.
CHLAMYDE : n.f. MANTEAU COURT ET FENDU, DANS L'ANTIQUITÉ GRECQUE.
CHARISMATIQUE : ... QUI A DU CHARME.

JE SAIS.

10

DEBOUT, MON PETIT COEUR. IL EST L'HEURE. LE DOCTEUR VA T'EXAMINER.

COMMENT TE SENS-TU, MON GARÇON ?

EUH...! MIEUX! BEAUCOUP MIEUX!

EN EFFET! PLUS LA MOINDRE TRACE DE FIÈVRE. CET ENFANT ME SEMBLE PARFAITEMENT RÉTABLI. "QUOD IN ORDINE ERAT, IN ORDINE REVERTIT".

ORDINEM.

PLAÎT-IL ?

OUI, VOUS AVEZ DIT : "IN ORDINE REVERTIT", ALORS QU'IL FALLAIT DIRE : "IN ORDINEM REVERTIT"!

MA FOI, TU AS RAISON! C'EST BIEN "ORDINEM"! C'EST L'ACCUSATIF QU'IL FAUT EMPLOYER, ET NON L'ABLATIF, CAR "REVERTIT" INDIQUE UNE DIRECTION.

MAIS COMMENT TU SAIS ÇA, TOI ?

JE SAIS PAS. JE LE SAIS, C'EST TOUT.

HA!HA!HA! TU M'AS L'AIR D'UN FAMEUX PETIT MALIN, TOI! ALLEZ, REPOSE-TOI BIEN!

C'EST UN MONSIEUR "JE SAIS TOUT".

DITES-MOI, VOTRE PETIT-FILS, IL APPREND LE LATIN EN CACHETTE, OU QUOI ?

NON, NON! IL AURA ENTENDU CETTE PHRASE UN JOUR ET IL L'AURA RETENUE. C'EST UN HASARD.

TOUT DE MÊME! DU LATIN! TSSSS!

PLUS TARD, DANS L'APRÈS-MIDI ...

JOJO! TU VIENS DANS LE SALON ME TENIR UN PEU COMPAGNIE?

INSTALLE-TOI LÀ AVEC TES JOUETS, MAMY VA REGARDER SON ÉMISSION.

MONSIEUR FAURISSIER, À VOUS DE COMMENCER...

CONSONNE: T

MONSIEUR LEBRUN?

VOYELLE. A

CONSONNE

VOYELLE

CONSONNE

CONSONNE

CONSONNE

VOYELLE

ET CONSONNE.

R i F M M E N

FIRMAMENT.

CHUT, JOJO! TU M'EMPÊCHES DE RÉFLÉCHIR!

TARIF

TARIFE

FARINE

FRIMANT

TONGS ♪

SEPT LETTRES: FRIMANT.

MONSIEUR FAURISSIER?

SEPT LETTRES

MONSIEUR LEBRUN?

NEUF LETTRES: FIRMAMENT.

BRRRMM

FIRMAMENT, UN TRÈS JOLI MOT. 15 À 11 POUR MONSIEUR LEBRUN.

CLAP! CLAP CLAP CLAP CLAP CLAP

JOJO, DIS-MOI, COMMENT TU AS FAIT POUR TROUVER "FIRMAMENT"?

'SAIS PAS. C'EST VENU TOUT SEUL.

COMME POUR LA PHRASE EN LATIN, TOUT À L'HEURE?

BEN OUI.

ET POUR LES CHIFFRES? ESSAIE UN PEU LES CHIFFRES...

740

4 3 9 12 15 11

12 × 15 = 180
180 × 4 = 720

11 + 9 = 20
720 + 20 = **740**

SUIS-MOI.

TU VAS FAIRE UN TEST.

ASSIEDS-TOI LÀ.

« Comment faire quatre triangles équilatéraux avec six allumettes ? »

TU ES SÛR QUE TU NE CONNAIS PAS LE TRUC ?

JURÉ.

JOJO... TU ES UN GÉNIE !

BÖH ! FASTOCHE !

SUFFIT DE LES MONTER EN PYRAMIDE !

JE NE SAIS PAS COMMENT ÇA SE FAIT, ÇA A L'AIR INCROYABLE, MAIS CE COUP QUE TU AS REÇU SUR LA TÊTE A FAIT DE TOI UN PETIT GÉNIE ...

MAIS JE NE VOIS PAS CE QU'IL Y A DE CHANGÉ, MOI !

JOJO, ÉCOUTE-MOI BIEN ! JE VEUX QUE TU N'EN PARLES À PERSONNE ! NE MONTRE À PERSONNE QUE TU ES UN PETIT GÉNIE ! MAMY A L'IMPRESSION QU'IL SE PASSERAIT DES CHOSES TERRIBLES SI ÇA VENAIT À SE SAVOIR ! TU ME PROMETS ?

PROMIS, JURÉ, CRACHÉ.

13

YEUX
PALPE
GANGLION
CÉRÉBROÏDE
MANDIBULE
THORAX
PATTES
ÉLYTRE
ABDOMEN
AILE
MEMBRANEUSE
CHITINE

ALORS, JOJO, TU RÊVES ?

POUR TE RÉVEILLER, TU VIENS AU TABLEAU ET TU ME RÉSOUS CE CALCUL.

MINCE! EST-CE QUE JE SUIS CENSÉ SAVOIR ÇA, MOI ?

SI JE DONNE LA BONNE RÉPONSE, ILS VONT VOIR QUE JE SUIS UN GÉNIE! MAMY A BIEN DIT QU'IL NE FALLAIT PAS!

ALORS, JOJO? J'ATTENDS!

ÉVIDEMMENT, TU NE SAIS PAS! ÇA NE M'ÉTONNE PAS QUAND ON VOIT COMME TU ES ATTENTIF EN CLASSE!

RETOURNE À TA PLACE. TU ME DÉÇOIS BEAUCOUP. SI TU NE TE REPRENDS PAS, TU SERAS UN PETIT IGNORANT TOUTE TA VIE!

HI! HI! SI ELLE SAVAIT!

JE SUIS OBLIGÉE DE TE DONNER UN ZÉRO.

MAIS C'EST INJUSTE!

C'EST DÉGUEULASSE!

JOJO... MAIS!?... QU'EST-CE QUE TU FAIS ?

... QUE TOUTE CETTE HISTOIRE NE S'ÉBRUITE.

ILS DISENT QU'IL A DES ESPÈCES DE SUPER-POUVOIRS ET QU'IL NE FAUT PAS QUE ÇA S'ÉBRUITE.

ÇA VEUT DIRE QUOI : "S'ÉBRUITE"?

'SAIS PAS!

MOI NON PLUS!

JAMAIS ENTENDU PARLER.

SÉBRUITE?

ATTENTION! ILS VONT SORTIR!

OOUUAAAiiiS!

VIVE JOJO! VIVE LE GÉNIE DE NOTRE ÉCOLE!

OUAAiiiS! LES SUPER-POUVOIRS!

DIS, JOJO, ÇA VEUT DIRE QUOI "SÉBRUITE"?

BON, BEN, RATÉ POUR LA DISCRÉTION... JE CROIS QU'ON PEUT DIRE ADIEU À NOTRE TRANQUILLITÉ...

HÉ! QUI SAIT! CE N'EST PEUT-ÊTRE PAS PLUS MAL, APRÈS TOUT!

AAAH, C'EST MALIN! ÇA, C'EST DRÔLE! ET MOI, J'Y AI CRU! QUELLE BONNE BLAGUE! QUI VA ME RENDRE MON PAQUET DE BONBONS, MAINTENANT?

N'EMPÊCHE, MAINTENANT T'ES NOTRE SUPER-HÉROS! IL NE TE MANQUE PLUS QUE LE COSTUME!

MA MAMAN A UNE MACHINE À COUDRE QUE JE PEUX EMPLOYER... SI TU VEUX...

OH OUI! AVEC UNE CAPE!

ET QUELQUE CHOSE SUR LA TÊTE!

JOJO, TU NE COMPTES TOUT DE MÊME PAS GARDER CE DÉGUISEMENT JUSQU'À LA FIN DE L'ANNÉE?

MAIS CE SONT LES COPAINS QUI L'ONT FAIT!

JE SUIS SUPER-JOJO!

ÉCOUTE, JOJO, SI LE DIRECTEUR TE VOIT COMME ÇA, TU TE FAIS GRONDER ET J'AURAI UNE REMARQUE! TU VAS M'ENLEVER CE COSTUME TOUT DE SUITE!

ET MOI JE DIS QUE NON!

ET MOI, JE DIS QUE SI!

ET MOI JE DIS QUE NON!

QU'EST-CE QUI SE PASSE ICI?

C'EST JOJO, MONSIEUR LE DIRECTEUR! IL REFUSE OBSTINÉMENT DE QUITTER CE DÉGUISEMENT!

MAIS, MAIS, MAIS, VOYONS! QUEL MAL Y A-T-IL À S'HABILLER COMME ON EN A ENVIE? JE TROUVE ÇA TRÈS JEUNE! TRÈS FRAIS.

C'EST UN CADEAU DES COPAINS!

TU PEUX RESTER COMME ÇA, MON BONHOMME! TU AS L'AUTORISATION DE TON DIRECTEUR!

QU'EST-CE QU'ON DIT, JOJO?

MERCI, MONSIEUR LE DIRECTEUR!

OÛÛH! CETTE DÉCISION POPULAIRE POURRAIT BIEN M'ÊTRE UTILE DANS MON PETIT PROJET!

PUISQUE LE PROBLÈME EST RÉGLÉ, ON PREND SON LIVRE DE LECTURE OÙ NOUS L'AVIONS LAISSÉ HIER.

"Bonne nuit, Jeannot lapin" dit petit ours en installant son ami dans la cabane à outils du jardin, non loin du carré de carottes.»

JOJO! SI CE QUE JE RACONTE NE T'INTÉRESSE PAS, TU POURRAIS AU MOINS FAIRE SEMBLANT!

IL Y EN A D'AUTRES DANS LA CLASSE QUE ÇA INTÉRESSE, FIGURE-TOI!

MAIS... QU'EST-CE QUE VOUS AVEZ AUJOURD'HUI, LES ENFANTS ? D'HABITUDE, VOUS LES AIMEZ BIEN, MES LEÇONS !...

OUI, MADEMOISELLE, MAIS QUAND ON VOIT TOUS LES TRUCS TERRIBLES QUE JOJO CONNAÎT, ÇA FAIT UN PEU BÉBÉ, LES HISTOIRES DE PETIT LAPIN ET DE NOUNOURS....

OUI, ÇA FAIT CUCUL !

CUCUL ? AH BON ? EH BIEN, SI C'EST JOJO QUE VOUS VOULEZ ÉCOUTER,...

...LA PLACE EST LIBRE, JOJO, MONTRE-NOUS CE QUE TU SAIS FAIRE !...

OH OUI !

JO-JO !

JO-JO !

JO-JO !

JO-JO !

JO-JO !

JO-JO !

HÉ ! POUSSEZ PAS, LES GARS !

BON... HUM !...

QU'EST-CE QUE JE POURRAIS VOUS RACONTER ?

AH OUI ! JE SAIS !

AU DÉBUT, L'UNIVERS TOUT ENTIER ÉTAIT CONTENU DANS UN PETIT POINT MINUSCULE, À PEINE DE LA TAILLE D'UNE TÊTE D'ÉPINGLE.

22.

AHAHÄÄÄ ! TOUT EST ARRANGÉ ! IL NE RESTE PLUS QU'A' CONVAINCRE NOTRE PETIT GÉNIE.

ET PUIS, UN JOUR, IL Y A QUINZE MILLIARDS D'ANNÉES, MAIS CE N'ÉTAIT PAS UN JOUR NI UNE NUIT (LE JOUR ET LA NUIT N'EXISTAIENT PAS ENCORE), IL Y EUT UNE EXPLOSION DANS CETTE MINUSCULE TÊTE D'ÉPINGLE ...

...ET LA FORMIDABLE ÉNERGIE LIBÉRÉE DILATA LA MATIÈRE QU'ELLE CONTENAIT, DONNANT NAISSANCE AUX GALAXIES ET A' TOUT CE QUI HABITE L'UNIVERS...

MAIS CE N'EST PAS DANS LE PROGRAMME, ÇA !

ENTRONS !

EUH... EXCUSEZ-MOI, JE VOUS INTERROMPS POUR...

SHHHHHT!

OH! PARDON, MONSIEUR LE DIRECTEUR, JE N'AVAIS PAS VU QUE C'ÉTAIT VOUS!

DEBOUT, LES ENFANTS!

ASSEYEZ-VOUS! J'AI UNE BONNE NOUVELLE À VOUS ANNONCER!

J'AI DÉCIDÉ D'INSCRIRE NOTRE PETITE ÉCOLE À L'ÉMISSION TÉLÉVISÉE "LES GÉNIES JUNIORS", OÙ ELLE SERA CONFRONTÉE AUX PLUS GRANDS LYCÉES ET COLLÈGES DU PAYS!

SI JE NE L'AI PAS FAIT PLUS TÔT, C'EST QU'IL ME SEMBLAIT QUE NOUS N'AVIONS PAS VRAIMENT D'ÉLÉMENTS CAPABLES DE BRILLER ET DE NOUS APPORTER LA VICTOIRE!

EUH... JOJO... EST-CE QUE TU CROIS QUE TU PEUX CONVAINCRE TA MAMY DE TE LAISSER PARTICIPER AUX "GÉNIES JUNIORS"?

OH OUI! JO-JO! JO-JO!

EST-CE QUE JE POURRAI GARDER LE COSTUME DES COPAINS POUR ALLER À LA TÉLÉVISION?

AAAH... ÇA, JE NE SAIS PAS... EUH... LE RÈGLEMENT DE L'ÉMISSION... EUH...

OH OUI! LE COSTUME! LE COSTUME! LE COSTUME!

C'EST BON, C'EST BON, TU IRAS AVEC LE COSTUME!

ALORS, D'ACCORD. JE VAIS ESSAYER DE LA CONVAINCRE.

PASSER À LA TÉLÉVISION ? AH NON ! IL N'EN EST PAS QUESTION !

IL Y A DÉJÀ ASSEZ DE GENS QUI SONT AU COURANT DE TES DONS ! IL NE FAUT PAS EN RAJOUTER.

ET COMME DISAIT MON GRAND-PÈRE : « POUR VIVRE HEUREUX, VIVONS CACHÉS » !

ALORS, TU VAS DIRE À TON DIRECTEUR QUE TU ES DÉSOLÉ, MAIS QUE...

DRÏÏNGS

ALLONS BON ! QUOI ENCORE ?

FLÛTE ! C'EST CETTE LANGUE DE VIPÈRE DE MADAME GANGLION ! J'AVAIS COMPLÈTEMENT OUBLIÉ QU'ON DEVAIT PRENDRE LE THÉ ENSEMBLE !

CONTINUE TA TOILETTE, JOJO, JE VAIS ESSAYER DE FAIRE VITE.

J'ARRIVE, J'ARRIIIVE !

DRÏÏNG !

AH BEN ! C'EST PAS TROP TÔT !

ÉVIDEMMENT, ÇA NE DOIT PAS ÊTRE FACILE DE SE DÉPLACER QUAND ON SOUFFRE D'UN EXCÈS DE POIDS.

MOI, J'AI PERDU TROIS KILOS ! J'AI SUIVI UN NOUVEAU RÉGIME MIS AU POINT PAR MON FILS ROGER.

VOUS SAVEZ NATURELLEMENT QUE MON FILS EST MÉDECIN. UN DES MEILLEURS SPÉCIALISTES DE LA NUTRITION, DIT-ON.

ET VOUS, MADAME MAMY, VOTRE FILS, LE PAPA DU PETIT JOJO, PAS DE NOUVELLES ? (*)

IL EST TOUJOURS...HEU?... VOYONS, COMMENT APPELLE-T-ON ENCORE CE MÉTIER OÙ L'ON DÉBOUCHE LES CABINETS ?

AH OUI ! PLOMBIER !

LES ENFANTS DONNENT TELLEMENT DE SATISFACTIONS ! ET J'AI DES PETITS-ENFANTS CHARMANTS ! SAVEZ-VOUS QUE MARIE-CHANTAL EST LA PREMIÈRE DE SA CLASSE EN SOLFÈGE ? ET JEAN-GRÉGOIRE, TOUS SES PROFESSEURS S'ACCORDENT À DIRE QU'IL SERA PREMIER MINISTRE, PAS MOINS !

CRUNCH CRONCH CRONCH

ET VOTRE PETIT JOJO, IL A TOUJOURS AUTANT DE PROBLÈMES À L'ÉCOLE ?

MON PETIT JOJO EST UN GÉNIE ET IL VA REPRÉSENTER SON ÉCOLE AU JEU "GÉNIES JUNIORS" À LA TÉLÉVISION !

ET MAINTENANT, SI VOUS LE VOULEZ BIEN, NOUS ALLONS NOUS DIRE "AU REVOIR". MON PETIT JOJO A BESOIN DE SE CONCENTRER.

EH BIEN, JE VAIS VOUS LAISSER.

AAAH MAIS !

MAMY, J'AI TOUT ENTENDU ! ALORS, C'EST D'ACCORD ? TU VEUX BIEN QUE JE PASSE À LA TÉLÉVISION ?

26

CE QUI EST DIT, EST DIT, MAIS TU PEUX REMERCIER LE CIEL D'AVOIR UNE GRAND-MÈRE TROP IMPULSIVE !

BIIIZZZ

(*) LE FILS DE MAMY APPARAÎT DANS L'ALBUM N° 1 DE JOJO : "LE TEMPS DES COPAINS".

ET C'EST AINSI QUE, PLUSIEURS JOURS PLUS TARD...

BON. NOUS Y SOMMES. ALORS, S'IL VOUS PLAÎT, ESSAYEZ DE NE PAS TROP VOUS FAIRE REMARQUER!

ALLEZ JO-JO! ALLEZ JO-JO!

ALLEZ L'ÉCOLE N°5

STUDIOS A à H

19.07

STUDIOS I à P

ALLEZ L'ÉCOLE N°5

ATTENTION, LES ENFANTS! À LA UNE, À LA DEUX... À LA TROIS...

INFO

ALLEZ CARDINAL MARTIN

CARDINAL

ET NOUS ALLONS GAAGNER! ET NOUS ALLONS GAAGNER!

ALLEZ CARDINAL MARTIN

CARDINAL

AH! MAIS VOILÀ MON COLLÈGUE DE L'ÉCOLE NUMÉRO CINQ, JE SUPPOSE! TRÈS HEUREUX. JE SUIS LE DIRECTEUR DU COLLÈGE CARDINAL MARTIN.

INFO

ALLEZ CARDINAL MART

ET VOICI MON ÉQUIPE, TOUS ÉLÈVES DE SIXIÈME...

À LA UNE... À LA DEUX... À LA TROIS...

ET NOUS ALLONS GAAGNER! ET NOUS ALLONS GAAGNER!

VIENS UN PEU ICI, MON PETIT FRANÇOIS, QUE JE TE REMETTE TA CRAVATE. TA TENUE DOIT ÊTRE IMPECCABLE. DES MILLIONS DE TÉLÉSPECTATEURS VONT TE VOIR.

C'EST NOTRE CHAMPION. PRIX D'EXCELLENCE EN MATHÉMATIQUES, SCIENCES, HISTOIRE, LITTÉRATURE. UN ÉLÉMENT TRÈS BRILLANT.

ET VOUS, VOTRE ÉQUIPE ?

VOILÀ. C'EST JOJO.

PREMIER PRIX DE DESSIN.

CINQUIÈME EN GYMNASTIQUE.

JE REMETS TES ANTENNES EN PLACE, JOJO. TU DOIS ÊTRE IMPECCABLE POUR TE PRÉSENTER DEVANT DES MILLIONS DE TÉLÉSPECTATEURS !

AH HA! HA! HA! HA! VOUS ÊTES UN FARCEUR, VOUS! BON, ON Y VA! ÇA VA COMMENCER! ET QUE LE MEILLEUR GAGNE!

ET NOUS ALLONS GAAGNER! ET NOUS ALLONS GAAGNER!

N°5

ALLEZ CARDINAL MARTIN

CARDINAL MARTIN

Les Génies Jun

ALLEZ L'ÉCOLE N° 5

28.

MADAME, MONSIEUR, BONSOIR! BIENVENUE DANS CETTE NOUVELLE ÉMISSION DE "GÉNIES JUNIORS", QUI OPPOSERA AUJOURD'HUI...

UNE ÉQUIPE DU COLLÈGE CARDINAL MARTIN...

BONJOUR, JE M'APPELLE FRANÇOIS.

BONJOUR, JE M'APPELLE ROLAND.

BONJOUR, JE M'APPELLE THIBAUT.

À UNE ÉQUIPE DE L'ÉCOLE NUMÉRO CINQ.

BONJOUR, JE M'APPELLE JOJO.

PREMIÈRE QUESTION: GÉOGRAPHIE. COMMENT S'APPELLE L'EMBOUCHURE D'UN FLEUVE COMPOSÉE DE PLUSIEURS BRAS?

PING

ALLEZ CARDINAL MARTIN

OUAAïïïS

UN DELTA.

EXCELLENTE RÉPONSE!

POURQUOI IL A PAS RÉPONDU, JOJO?

MUSIQUE: COMMENT APPELLE-T-ON LE SIGNE D'ALTÉRATION ACCIDENTELLE ÉLEVANT D'UN DEMI-TON CHROMATIQUE LA NOTE DEVANT LAQUELLE IL EST PLACÉ?

Génies Juniors

ZWZWZWZWZWZW.

UN DIÈSE.

EXCELLENTE RÉPONSE, CARDINAL MARTIN.

PING

CARDINAL MARTIN PREND LE LARGE AVEC DIX POINTS. CULTURE GÉNÉRALE À PRÉSENT...

QUELQUE CHOSE NE TOURNE PAS ROND. JE VAIS DISCRÈTEMENT ALLER VOIR. RESTEZ ICI.

QUI A DIT: "MON SEUL RIVAL INTERNATIONAL, C'EST TINTIN."??

PARDON!

EXCUSEZ-MOI!

PARDON!

TING

LE GÉNÉRAL DE GAULLE.

NOUVELLE BONNE RÉPONSE DE CARDINAL MARTIN!

SCIENCES À PRÉSENT : QUELLE EST L'ÉTOILE LA PLUS PROCHE DE NOTRE SYSTÈME SOLAIRE ?

YOUHOÛÛ! COLLÈGUE!

PING ♪

PROXIMA DU...

STOP! J'INTRODUIS UNE RÉCLAMATION!

MON ÉLÈVE EST TROP PETIT. IL N'ARRIVE PAS AU BUZZER.

OUI, BIEN SÛR, C'EST DÉSOLANT, MAIS NOUS NE POUVONS TOUT DE MÊME PAS LUI METTRE DES DICTIONNAIRES EN DESSOUS DES PIEDS POUR QUE...

NON, BIEN SÛR, PAS DES DICTIONNAIRES, MAIS PEUT-ÊTRE UNE CAISS...

JE VOUS JURE QUE JE NE SAVAIS PAS! JE VOUS JURE!

À LA TÉLÉVISION, ÇA NE SE VOIT PAS QUE VOUS ÊTES SI P.... ENFIN....

BON, C'EST PAS TOUT ÇA! J'AI UNE ÉMISSION À CONTINUER, MOI! QUESTION HISTOIRE. EN QUELLE ANNÉE GUILLAUME LE CONQUÉRANT A-T-IL DÉBARQUÉ EN GRANDE-BRETAGNE?

PING! ♪

EN 1066!

QUEL ÉTAIT LE NOM DE LA BA...

PING HASTINGS ♪

HISTOIRE TOUJOURS... QUI...

PING!

LOUIS XIV!

32

H2O.

LIVINGSTONE.

"RALLIEZ-VOUS À MON PANACHE BLANC."

ET C'EST SUR CETTE ULTIME QUESTION QUE SE TERMINE NOTRE ÉMISSION. TRÈS BRILLANTE VICTOIRE DE L'ÉCOLE Nº5 QUI SE RETROUVERA DANS UN MOIS EN HUITIÈME DE FINALE.

ON A GAGNÉ!

ALLEZ L'ÉCOLE Nº5

MERCI DE VOTRE FIDÉLITÉ, ET À LA SEMAINE PROCHAINE!

TOUTES MES FÉLICITATIONS, CHER COLLÈGUE.

J'AVOUE QUE J'AVAIS SOUS-ESTIMÉ VOTRE PETITE ÉCOLE. MAIS VOUS AVEZ DE LA CHANCE D'AVOIR UN ÉLÉMENT AUSSI BRILLANT QUE CE PETIT JOJO. C'EST ABSOLUMENT SIDÉRANT.

← STUDIOS

ME PERMETTEZ-VOUS DE M'ENTRETENIR QUELQUES INSTANTS AVEC LUI? J'AIMERAIS EN SAVOIR PLUS.

SI VOUS VOULEZ, MAIS VOUS SAVEZ, JOJO EST UN PETIT GARÇON COMME LES AUTRES...

ALLONS BON! OÙ SONT-ILS PASSÉS?

ILS ÉTAIENT LÀ IL Y A UN INSTANT! JE NE COMPRENDS PAS! ILS ONT DÛ SORTIR!

→ STUDIOS A à H

2130

CHERCHEZ PAR LÀ!

SAPRISTI! PERDRE TOUTE UNE ÉCOLE EN CINQ MINUTES, ÇA N'ARRIVE QU'À MOI!

CHER COLLÈGUE! JE LES AI TROUVÉS!

ILS ÉTAIENT MONTÉS JUSQU'ICI POUR VOIR LES ÉTOILES! VENEZ, C'EST INTÉRESSANT! IL EXPLIQUE TRÈS TRÈS BIEN, VOTRE PETIT JOJO!

REGARDEZ, LES TROIS ÉTOILES BRILLANTES SONT, D'ABORD: JUSTE AU-DESSUS DE NOUS, DENEB, PUIS PLUS HAUT, À DROITE VÉGA, ET EN DESSOUS, ALTAÏR. ON NE LES VOIT QU'EN ÉTÉ, DE CETTE MOITIÉ-CI DE LA TERRE. ON LES APPELLE LES "TROIS BELLES D'ÉTÉ". ELLES FONT PARTIE DE TROIS CONSTELLATIONS DIFFÉRENTES : DENEB, DU CYGNE, VÉGA, DE LA LYRE, ET ALTAÏR, DE L'AIGLE. C'EST GRÂCE AU CYGNE QU'ON PEUT REPÉRER LA VOIE LACTÉE, CAR DENEB Y EST JUSTE AU CENTRE.

32.

LE LENDEMAIN MATIN.

JOJO, NE TRAÎNE PAS TROP, MON BÉBÉ!

LE PETIT DÉJEUNER EST PRÊT ET IL Y A UN COURRIER DE PREMIER MINISTRE QUI T'ATTEND!

ÇA N'ARRÊTE PAS DEPUIS CE MATIN. DES LETTRES DE FÉLICITATIONS, DES TÉLÉGRAMMES, ET PUIS DES FLEURS, DES FLEURS!

DRIIIIIING

MADAME LÉONTINE SEMAINE? JE SUIS HUBERT TROUNOIR, CHARGÉ DE MISSION AUPRÈS DU MINISTÈRE DES SCIENCES.

VOICI DE QUOI IL S'AGIT, MADAME. NOUS AVONS ASSISTÉ AU MINISTÈRE À LA PERFORMANCE DE VOTRE PETIT-FILS JOJO, HIER, À LA TÉLÉVISION. ET CE QUE NOUS AVONS VU A PIQUÉ NOTRE CURIOSITÉ SCIENTIFIQUE.

NOUS AVONS RENCONTRÉ LE DIRECTEUR DE SON ÉCOLE ET CE QU'IL NOUS A RACONTÉ NOUS A LAISSÉS PERPLEXES. UN PETIT GARÇON TOUT À FAIT NORMAL QUI, DU JOUR AU LENDEMAIN, DEVIENT SURDOUÉ, C'EST ÉTONNANT.

EN UN MOT COMME EN CENT, ACCEPTERIEZ-VOUS DE NOUS CONFIER VOTRE PETIT JOJO PENDANT QUELQUES JOURS À L'ACADÉMIE DES SCIENCES POUR QUE NOUS L'EXAMINIONS?

NE CRAIGNEZ RIEN. IL S'AGIT SEULEMENT DE LE METTRE EN PRÉSENCE D'UN ARÉOPAGE DE SAVANTS AVEC QUI IL S'ENTRETIENDRAIT PENDANT QUELQUES JOURS. RIEN DE PLUS.

QU'EST-CE QUE TU EN PENSES, JOJO? TU AS ENVIE D'ALLER À L'ACADÉMIE DES SCIENCES?

C'EST COMME TU VEUX, MAMY.

BON, C'EST D'ACCORD! MAIS UN: J'ACCOMPAGNE MON PETIT-FILS, ET DEUX: SI ON TOUCHE À UN SEUL DE SES CHEVEUX, J'EN FAIS DU BOUDIN, MOI, DE VOTRE AÉROPAGE DE SAVANTS!

ARÉOPAGE, MAMY!

AH !
VOICI NOTRE PETIT
PHÉNOMÈNE !

APPROCHE, N'AIE PAS PEUR!

OOH! MAIS TU AS UN BIEN JOLI COSTUME DE MARTIEN!

C'EST PAS UN COSTUME DE MARTIEN, C'EST MA TENUE DE SAVANT!

AH OUI, C'EST VRAI! TU AS REÇU UN COUP DE DICTIONNAIRE SUR LA TÊTE, ET DEPUIS, TU ES UN GRAND SAVANT, TU SAIS TOUT SUR TOUT, C'EST ÇA?

EH BIEN, CHER COLLÈGUE, MOI, JE SUIS LE PROFESSEUR NESTOR, ET JE SUIS NEUROPSYCHIATRE. ET VOICI LE PROFESSEUR BOMBACHE, QUI EST DOCTEUR EN MATHÉMATIQUES, PHYSIQUE ET CHIMIE, ET LE PROFESSEUR COTYLÉDON, SPÉCIALISTE DU CERVEAU ET DES GLANDES!

AINSI DONC, TU SAIS TOUT SUR TOUT... EH BIEN, PAR EXEMPLE, SAIS-TU CE QUE C'EST **ÇA**?

OH, ÇA? FASTOCHE! C'EST LE SCHÉMA EN COUPE D'UNE ÉTOILE À NEUTRONS, C'EST-À-DIRE CE QUI RESTE DU CŒUR D'UNE ÉTOILE MASSIVE APRÈS QU'ELLE A EXPLOSÉ EN SUPERNOVA. UNE ÉTOILE À NEUTRONS A UN DIAMÈTRE D'UNE DIZAINE DE KILOMÈTRES ET SA DENSITÉ EST TELLE QU'UN DÉ À COUDRE DE MATIÈRE STELLAIRE PÈSE ENVIRON UN MILLIARD DE TONNES.

SIDÉRANT!

PAS MAL POUR MON ÂGE, HEIN?

SUIS-MOI.

ÇA! PEUX-TU ME DIRE CE QUE C'EST, ÇA?

OH, ÇA? C'EST LE PENDULE DE FOUCAULT. LÉON FOUCAULT EST UN PHYSICIEN FRANÇAIS NÉ EN 1819 ET MORT EN 1868. C'EST LE PREMIER À AVOIR DÉMONTRÉ, GRÂCE À CE PENDULE, QUE LA TERRE TOURNE.

AVANT LUI, ON LE SAVAIT, ON POUVAIT MÊME LE CALCULER, MAIS ON NE POUVAIT PAS LE **VOIR** !

LÉON FOUCAULT EST PARTI DU PRINCIPE QUE LE PENDULE EST INDÉPENDANT DE SON POINT D'ATTACHE.

AUTREMENT DIT, SI ON LANCE LE PENDULE AU DÉPART DU CHIFFRE UN, UNE HEURE PLUS TARD, IL SERA AU-DESSUS DU CHIFFRE DEUX, DEUX HEURES PLUS TARD, AU-DESSUS DU CHIFFRE TROIS, ET AINSI DE SUITE.

EN FAIT, LE PENDULE N'A PAS VARIÉ SA TRAJECTOIRE, IL EST RESTÉ DANS LE MÊME AXE. C'EST LA TERRE QUI A TOURNÉ ! C.Q.F.D.

MAIS LÉON FOUCAULT A FAIT BIEN D'AUTRES CHOSES. C'EST LUI PAR EXEMPLE QUI A DÉTERMINÉ LA VITESSE DE LA LUMIÈRE.

IL A AUSSI INVENTÉ LE GYROSCOPE, ET LE TÉLESCOPE CLASSIQUE À MIROIR PARABOLIQUE !

IL EST INTERDIT DE SE BALANCER.

C'EST INCROYABLE ! FORMIDABLE ! SUIS-MOI.

ET ÇA ? QU'EST-CE QUE C'EST ?

36.

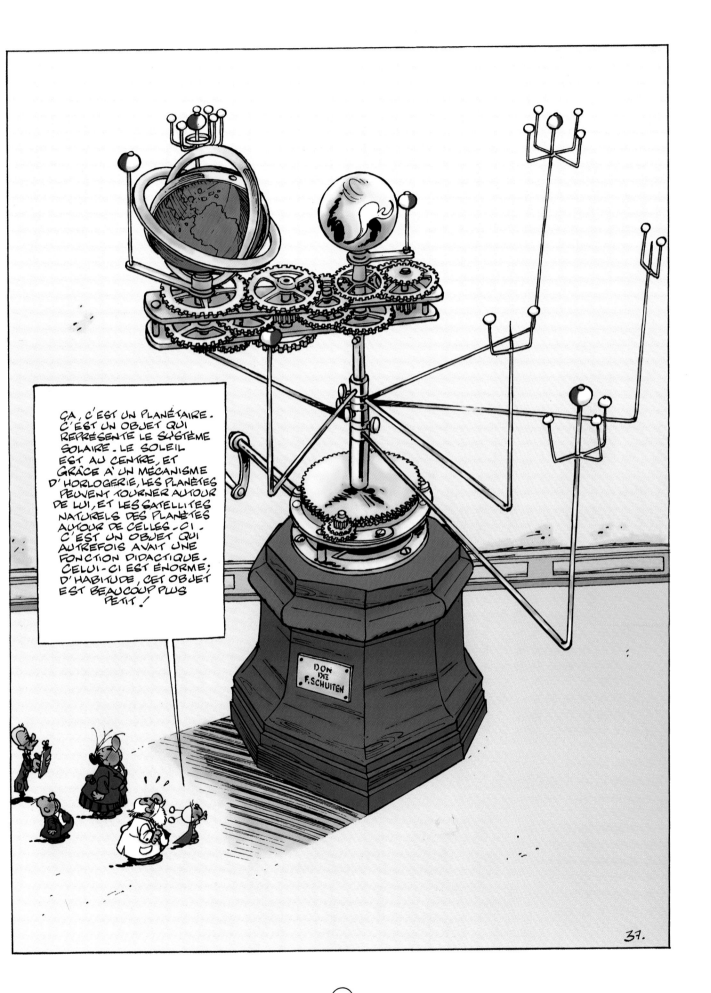

ÇA, C'EST UN PLANÉTAIRE.
C'EST UN OBJET QUI
REPRESENTE LE SYSTÈME
SOLAIRE. LE SOLEIL
EST AU CENTRE, ET
GRÂCE À UN MÉCANISME
D'HORLOGERIE, LES PLANÈTES
PEUVENT TOURNER AUTOUR
DE LUI, ET LES SATELLITES
NATURELS DES PLANÈTES
AUTOUR DE CELLES-CI.
C'EST UN OBJET QUI
AUTREFOIS AVAIT UNE
FONCTION DIDACTIQUE.
CELUI-CI EST ÉNORME;
D'HABITUDE, CET OBJET
EST BEAUCOUP PLUS
PETIT!

DON
DE
F. SCHUITEN

RENVERSANT.

ET... QUE SAIS-TU ENCORE D'AUTRE ?

CE QUE JE SAIS D'AUTRE ?

EH BIEN, CE QUE JE SAIS, C'EST QUE...

EN AUSTRALIE ET DANS TOUT L'HÉMISPHÈRE SUD, L'EAU S'ÉCOULE DANS LE SIPHON DES ÉVIERS EN TOURNANT DANS LE SENS DES AIGUILLES D'UNE MONTRE, CONTRAIREMENT À NOS RÉGIONS.

LA MORSURE DE LA MYGALE N'EST PAS MORTELLE POUR L'HOMME. ELLE NE SÉCRÈTE QU'UN TRÈS FAIBLE VENIN QUI NE PEUT TUER, MÊME UN PETIT ANIMAL.

LE PALINDROME EST UNE LOCUTION QUI PEUT SE LIRE DE LA MÊME FAÇON DANS LES DEUX SENS. EXEMPLE : "LA MARIÉE IRA MAL "

LA MONNAIE DE LA MAURITANIE EST L'OUGUIYA. L'OUGUIYA VAUT CINQ KHOUMS.

L'ALPHABET HÉBREU S'ÉCRIT DE DROITE À GAUCHE ET NE COMPORTE QUE DES CONSONNES. SOIT VINGT-DEUX LETTRES. PARFOIS LES VOYELLES SONT INDIQUÉES PAR UN POINT OU UN TRAIT PLACÉ SOUS LES CONSONNES.

LE MOT "HASARD" VIENT DE L'ARABE "AL-ZAHR" QUI SIGNIFIE : DÉ À JOUER.

AUX PREMIÈRES SECONDES DE SA VIE, L'UNIVERS ÉTAIT CONSTITUÉ DE MATIÈRE ET D'ANTIMATIÈRE. IL Y AVAIT JUSTE UN TOUT PETIT PEU PLUS DE MATIÈRE QUE D'ANTIMATIÈRE. AU COURS DU REFROIDISSEMENT QUI SUIVIT, MATIÈRE ET ANTIMATIÈRE S'ANNIHILÈRENT. TOUT DISPARUT, SAUF CE PETIT PEU DE MATIÈRE EN PLUS. C'EST CE PETIT PEU QUI CONSTITUE TOUTE LA MATIÈRE QUE NOUS CONNAISSONS AUJOURD'HUI.

L'HIPPOPOTAME NAIN SE RENCONTRE DANS UNE PARTIE LIMITÉE DU LIBÉRIA ET DE LA SIERRA LEONE. IL A 75 CM DE TAILLE AU GARROT ET PÈSE ENTRE 160 ET 270 KG.

LE PLUS GRAND LAC DU MONDE EST LE LAC SUPÉRIEUR, EN AMÉRIQUE DU NORD : 82.700 KM².

SI VOUS VOUS POSTEZ AU BORD D'UNE ROUTE, LE BRUIT DU MOTEUR D'UNE VOITURE SEMBLE PLUS AIGU LORSQUE LA VOITURE SE RAPPROCHE QUE LORSQUE LA VOITURE S'ÉLOIGNE DE VOUS. C'EST CE QU'ON APPELLE L'EFFET DOPPLER.

PLUS UN ANIMAL EST GROS, PLUS SON CŒUR BAT LENTEMENT. LE CŒUR D'UN ÉLÉPHANT BAT ENTRE 25 ET 28 PULSATIONS PAR MINUTE, CELUI D'UNE VACHE DE 60 À 80, UN HÉRISSON À 300. LE CŒUR DES OISEAUX BAT PLUS VITE QUE CELUI DES ANIMAUX TERRESTRES. UNE POULE À 390, UN CANARI À 1000 PULSATIONS MINUTE !

DANS LA CHINE ANCIENNE, LES MÉDECINS N'ÉTAIENT PAYÉS QUE TANT QUE LEURS PATIENTS ÉTAIENT EN BONNE SANTÉ. SI L'UN D'EUX VENAIT À TOMBER MALADE, LA FAUTE RETOMBAIT SUR LE MÉDECIN QUI ALORS S'ENGAGEAIT À SOIGNER LE MALADE GRATUITEMENT.

L'ÉCRIVAIN FRANÇAIS GEORGES PEREC A ÉCRIT TOUT UN ROMAN SANS UNE FOIS EMPLOYER LA LETTRE 'E' : "LA DISPARITION".

LA CAPITALE DU HONDURAS EST TEGUCIGALPA.

LE RENARD EST VRAIMENT UN ANIMAL INTELLIGENT. SI VOUS PLACEZ UN REPAS HORS DE PORTÉE D'UN CHIEN ATTACHÉ PAR UNE LAISSE À UN ARBRE, IL VA TENDRE LA PATTE ET TIRER COMME UN FOU. DANS LA MÊME SITUATION, LE RENARD, LUI, TOURNERA SON CORPS, ET VIENDRA RAPPROCHER LE REPAS À L'AIDE D'UNE DE SES PATTES ARRIÈRE !

38.

EUH...HOULA! ÇA TOURNE!

BOM!

MON DIEU! ÇA LE REPREND! C'EST LA DEUXIÈME FOIS QUE ÇA LUI ARRIVE!

JOJO! HOUHOUÒÒ! JOJO!

DIEU SOIT LOUÉ! IL REVIENT À LUI.

JE... JE ME SUIS ENCORE ÉVANOUI?

ÇA M'ARRIVE QUAND JE SORS TROP DE CHOSES DE MA TÊTE... TOUT SE MET À TOURNER ET...

HUM... JE CROIS QU'IL SERAIT SAGE D'ARRÊTER LÀ. IL FAUT QUE TU TE REPOSES. NOUS REPRENDRONS CE PETIT ENTRETIEN DEMAIN.

INTÉRESSANT, CET ÉVANOUISSEMENT. COMME SI TOUTES CES CONNAISSANCES, C'ÉTAIT TROP POUR CE PETIT GARÇON. ET CELA SE MANIFESTE PAR UNE PERTE DE CONNAISSANCE! LOGIQUE, AU FOND.

LOGIQUE MAIS DANGEREUX.

DANGEREUX? PEUT-ÊTRE. MAIS NOUS AVONS UNE MISSION: DÉCOUVRIR COMMENT UN DICTIONNAIRE QUI EST TOMBÉ SUR LA TÊTE D'UN ENFANT A PU LUI DONNER LA SCIENCE INFUSE. NE L'OUBLIONS PAS.

JE PROPOSE QUE NOUS 4 RÉFLÉCHISSIONS CETTE NUIT. RENDEZ-VOUS DEMAIN MATIN POUR CONFRONTER LE FRUIT DE NOS RECHERCHES.

BONSOIR.

EH BIEN ! LE FACTEUR NE T'A PAS OUBLIÉ ! JOJO SEMAINE... JOJO SEMAINE..MONSIEUR JOJO...! TU ES UNE VRAIE VEDETTE !

MÊME LES JOURNAUX PARLENT DE TOI : "JOJO, LE PETIT GARÇON SURDOUÉ QUI DÉFIE LA SCIENCE !"

"VOUS VOUS SOUVENEZ TOUS DE JOJO, LE PETIT GARÇON NORMAL, DEVENU SURDOUÉ, DE L'ÉMISSION "GÉNIES JUNIORS" À LA TÉLÉVISION. NOUS AVONS RENCONTRÉ LE PROFESSEUR BOMBACHE DE L'ACADÉMIE DES SCIENCES QUI DÉCLARE : « SI NOUS ARRIVONS À DÉTERMINER POURQUOI UN COUP DE DICTIONNAIRE PEUT RENDRE SURDOUÉ, CE SERAIT UNE RÉVOLUTION POUR LA SCIENCE ET UN GRAND ESPOIR POUR L'AVENIR DE L'HUMANITÉ . »"

"AVENIR DE L'HUMANITÉ "! MON PAUVRE POUSSIN ! ILS NE SONT PAS PRÈS DE TE LAISSER TRANQUILLE, HEIN ?...

PAN!! PAN!

DRÍÍÍNG

TA ! TAA !

BONSOIR ! JE PASSAIS DANS LE COIN ET JE ME SUIS DIT : TIENS, SI J'ALLAIS PRENDRE DES NOUVELLES DE NOTRE PETIT CHAMPION ?

JOJO VA TRÈS BIEN , MAIS IL A PASSÉ UNE JOURNÉE TRÈS FATIGANTE ET JE ME PRÉPARAIS À LE METTRE AU LIT...

MAIS FAITES, FAITES ! ET QU'IL SE REPOSE BIEN ! ET RAPPELEZ-LUI QU'ON COMPTE SUR LUI POUR LES HUITIÈMES DE FINALE DE "GÉNIES JUNIORS"!

A' LA UNE... A' LA DEUX ... A' LA TROIS ! ET NOUS ALLONS GA-GNER ! ET NOUS ALLONS GA-GNER !

ALORS?

ALORS RIEN! PAS LE MOINDRE DÉBUT D'IDÉE! IL FAUT SE RENDRE À L'ÉVIDENCE: NOUS SOMMES FACE À UN MYSTÈRE QUE LA SCIENCE N'EST PAS PRÈS D'ÉLUCIDER!

ET MOI J'AI CONSULTÉ LES PLUS GRANDS OUVRAGES ET JE N'AI RIEN TROUVÉ QUI PUISSE NOUS ÉCLAIRER.

VOUS ME DÉCEVEZ, MESSIEURS!

PAS QUE J'AIE TROUVÉ LA SOLUTION, OH NON! J'AI TROUVÉ MIEUX! ET ÇA M'ÉTONNE QUE VOUS N'Y AYEZ PAS PENSÉ!

PUISQUE JOJO SAIT TOUT SUR TOUT...

IL SUFFIT DE LA LUI DEMANDER, L'EXPLICATION!

MAIS... C'EST EXTRÊMEMENT DANGEREUX! SOUVENEZ-VOUS DE L'ÉVANOUISSEMENT DU JEUNE GARÇON!

ALLONS! QU'EST-CE QU'UNE PETITE PERTE DE CONNAISSANCE À CÔTÉ D'UN GRAND GAIN DE SAVOIR?

CES MESSIEURS VOUS ATTENDENT AU PETIT SALON.

VOILA, C'EST ICI.

VAS-Y, MON PETIT COEUR, ET NE RÉPONDS PAS À DES QUESTIONS TROP DIFFICILES, C'EST MAUVAIS POUR TOI.

AH. VOICI NOTRE PETIT GÉNIE !

HIER, TU AS RÉPONDU À BEAUCOUP DE QUESTIONS, MAIS NOUS NE SOMMES PAS ENCORE CONVAINCUS QUE TU SOIS VRAIMENT SURDOUÉ.

?

PAR CONTRE, SI TU ARRIVES À RÉPONDRE À UNE SEULE ET DERNIÈRE QUESTION, NOUS SERONS CONVAINCUS.

COMMENT UN COUP DE DICTIONNAIRE SUR LA TÊTE PEUT-IL TRANSFORMER UN PETIT GARÇON NORMAL EN GÉNIE ?

TU NE RÉPONDS PAS ?

IL Y A DES CHOSES QUE JE NE PEUX PAS DIRE. C'EST MAUVAIS POUR MOI.

MOI, JE CROIS PLUTÔT QUE TU NE SAIS PAS RÉPONDRE.

SI, JE SAIS !

ET D'AILLEURS, D'AILLEURS, JE VAIS VOUS LE DIRE, L'EXPLICATION, C'EST...

ACADÉMIE DES SCIENCES ? QUELLE ACADÉMIE DES SCIENCES, MAMY ?

?

MAIS... À L'ACADÉMIE DES SCIENCES OÙ ON T'A POSÉ DES TAS DE QUESTIONS ! ENFIN, TU TE RAPPELLES BIEN TOUT DE MÊME, LE PLANÉTAIRE, LE PENDULE DE MACHIN ?

LA PENDULE DE QUI ??

JOJO ! TU TE SOUVIENS QUAND MÊME QUE TU ES SURDOUÉ ?

??

TOUT CE QUE JE ME SOUVIENS, C'EST UN GRAND COUP SUR LA TÊTE, PUIS PLUS RIEN !

JOJO ! 6 X 11, ÇA FAIT ?

EUH.... 162 ?

JOJO, TU N'ES PLUS SURDOUÉ !?

HÉ, ÇA VA ! ON N'A PAS ENCORE VU LA TABLE DE ONZE, JE TE SIGNALE !

PROFESSEUR ! PROFESSEUR ! JOJO N'EST PLUS SURDOUÉ !

OUI, BON, ÇA VA !

EXCUSEZ-MOI, J'AI EU COMME UN ÉTOURDISSEMENT. QUI ÊTES-VOUS, MADAME ?

ENFIN, PROFESSEUR, VOUS NE VOUS RAPPELEZ PAS ? JOJO ! LE PETIT GARÇON SURDOUÉ !

AH, OUI... JOJO... JE ME SOUVIENS. LA QUESTION... IL... IL NOUS A EXPLIQUÉ... IL NOUS A TOUT EXPLIQUÉ ! C'ÉTAIT TELLEMENT... POUR UN SCIENTIFIQUE... TELLEMENT...

L'ÉMOTION ... C'ÉTAIT TROP FORT... TOUT S'EST MIS À TOURNER ... J'AI PERDU CONNAISSANCE.

ET J'AI.... J'AI TOUT OUBLIÉ !

COTYLÉDON ! VOUS SOUVENEZ-VOUS D'UN SEUL MOT DE CE QUE NOUS A DIT JOJO ?

DE RIEN. JE NE ME SOUVIENS DE RIEN.

44

46

SI JE COMPRENDS BIEN, TOUT LE MONDE A TOUT OUBLIÉ, ICI! ET PUIS TOI, TU ES REDEVENU COMME AVANT, UN PETIT GARÇON COMME TOUS LES AUTRES...

VOUS VOYEZ, BOMBACHE, TOUT EST REDEVENU COMME AVANT. NOUS AVONS TROP VOULU SAVOIR, ET TROP VITE. NOUS AVIONS OUBLIÉ QUE C'EST PAR LA PATIENCE QUE S'ACQUIERT LA SCIENCE!

QUI ÊTES-VOUS, MONSIEUR?

BOMBACHE! C'EST MOI, NESTOR! ENFIN, RAPPELEZ-VOUS!

JE NE ME RAPPELLE RIEN! SEULEMENT UNE BIBLIOTHÈQUE AVEC PLEIN DE LIVRES QUI ME TOMBE DESSUS! C'EST TOUT!

D'AILLEURS, J'AI TRÈS MAL AU CRÂNE. SI QUELQU'UN PEUT ME DIRE QUI JE SUIS ET OÙ J'HABITE, J'IRAIS BIEN UN PEU ME REPOSER!

EH BIEN, JE CROIS QUE NOUS ALLONS EN RESTER LÀ. C'EST MIEUX POUR TOUT LE MONDE QUE JOJO SOIT REDEVENU UN PETIT GARÇON NORMAL. QUE CHACUN SUIVE SA ROUTE À SON PAS. LUI, LA SIENNE, ET NOUS, LA NÔTRE. ON SE REVERRA PEUT-ÊTRE UN JOUR, QUAND JOJO SERA DEVENU UN GRAND SAVANT. QUI SAIT...

MON PAUVRE BONHOMME! C'EST UNE BIEN ÉTRANGE HISTOIRE QUI T'EST ARRIVÉE! ET SI JE TE LA RACONTAIS, TU AURAIS DU MAL À LA CROIRE!

ALORS COMME ÇA, PAF, T'ES TOMBÉ DANS LES POMMES ET T'AS TOUT OUBLIÉ...?

BEN OUI...

C'EST BÊTE... COMMENT ON VA FAIRE, ALORS POUR GAGNER À "GÉNIES JUNIORS"? LES HUITIÈMES DE FINALE, C'EST DANS UNE SEMAINE!

J'ALLAIS LE DEMANDER!

BEN, J'SAIS PAS... POSEZ-MOI UNE QUESTION. JE SUIS PEUT-ÊTRE ENCORE UN TOUT PETIT PEU GÉNIAL...

EUH... TROIS FOIS DOUZE?

TROIS FOIS DOUZE TROIS FOIS DOUZE TROIS FOIS DOUZE... ATTENDS, JE L'SAIS...

TRENTE SIX !

C'EST JUSTE!

OH! JE M'ÉVANOUIS!

HA! HA! HA! MAIS NON! C'ÉTAIT POUR RIRE! JE ME SENS PARFAITEMENT BIEN!

MAIS JE NE PENSE PAS QUE CE SOIT SUFFISANT POUR GAGNER LA FINALE. ANTONIN N'A QU'À ME REMPLACER. APRÈS TOUT, C'EST LUI LE PREMIER DE LA CLASSE.

TOPE-LA, JOJO! JE FERAI TOUT MON POSSIBLE POUR ÊTRE À LA HAUTEUR.

BON, MAINTENANT, VOUS ALLEZ NOUS EXCUSER LES ENFANTS, JOJO ET MOI, ON EST TRÈS FATIGUÉS, ALORS ON VA ALLER SE REPOSER UN PEU... D'ACCORD?

O.K.! ON SE VOIT DEMAIN À L'ÉCOLE, JOJO!

OUF! VOILÀ! TOUT EST BIEN QUI FINIT BIEN! MAIS ON PEUT DIRE QUE C'EST UNE DRÔLE D'AVENTURE QUI T'ES ARRIVÉE LÀ!

PEUT-ÊTRE QU'UN JOUR TU ARRIVERAS À TE SOUVENIR... EN ATTENDANT, JE MONTE UN PEU ME REPOSER. CES ÉMOTIONS M'ONT ASSOMMÉE...

J'AIMERAIS BIEN ME SOUVENIR! POUR UNE FOIS QUE TOUT LE MONDE RECONNAÎT MON GÉNIE!

EN ATTENDANT, J'AI UNE IDÉE! JE VAIS FAIRE DES CRÊPES POUR QUAND MAMY AURA FINI DE SE REPOSER!

SI, JE SAIS!

FIN

GEERTS 97

COULEURS: FRANCESC...

MERCI À MICHÈLE DE BECK, CLARKE, JANRY, LISE LOUVET, FRANÇOIS SCHUITEN ET CHRISTIAN VAN DEN BERGHEN POUR LEUR AIDE ET LEURS CONSEILS.